Rafael Cruz-Contarini
Ilustrado por Rafael Salmerón

De A a Z com Mozart e a música

A DE **AMADEUS**

WOLFGANG AMADEUS MOZART
FOI MESTRE NA SUA ARTE.
COMPÔS ÓPERAS E BAILADOS
COM OS SONS MAIS DELICADOS.
E DEIXOU BELAS MELODIAS,
EM CONCERTOS E SINFONIAS.

B DE **BATUTA**

O MAESTRO DA ORQUESTRA
TODOS TEM DE DIRIGIR.
EM TOM SOLENE OU DE FESTA
O RITMO HÁ QUE SEGUIR.

MARCA O TEMPO, A BATUTA,
E ÀS VEZES LEMBRA UMA ESPADA,
ENTRANDO NUMA DISPUTA
COM AS NOTAS DA TOADA.

C DE **CONCERTO**

COM UM *ALLEGRO MA NON TROPPO*,
E UM *ANDANTE MODERATO*,
O SOLISTA, AO PIANO,
PERCORRE TODO O TECLADO.

DEPOIS DESTES ANDAMENTOS,
A ORQUESTRA DÁ ENTRADA,
INTERPRETA UM *ADAGIO*
E ESTÁ BEM AFINADA.

D DE **DANÇA**

A ORQUESTRA ESTÁ PRONTA
E A MÚSICA ESTÁ NO AR,
A BAILARINA VAI FICAR TONTA
DE TANTO RODOPIAR.

OUVEM-SE OS PRIMEIROS SONS
DA FLAUTA E DO VIOLINO.
JÁ EM PALCO, VAI ACTUAR
UM SEGUNDO BAILARINO.

E DE ESCALA

VOU DE UMA NOTA A OUTRA
ATÉ CHEGAR AO FINAL;
TODAS JUNTAS FAZEM SETE:
É A ESCALA MUSICAL.

SE COMEÇO PELO DÓ,
SEI QUE DEPOIS VEM O RÉ,
LOGO A SEGUIR É O MI.
E SE ADIANTE VEM UM FÁ
À ESPERA ESTÁ JÁ UM SOL.
PARA CONTINUAR ESTÁ O LÁ,
E LOGO SOA UM SI...
A ESCALA ACABA AQUI!

F DE **FLAUTA**

O PRÍNCIPE TOCA UMA FLAUTA
QUE UMA RAINHA LHE DEU,
COM PODERES ESPECIAIS
ATÉ AS FERAS VENCEU.

ESTA É A "FLAUTA MÁGICA",
DA TRISTEZA FAZ ALEGRIA,
E É PELA VOZ DO SOPRANO,
QUE SE REALIZA A MAGIA.

G DE **GIOVANNI**

DON GIOVANNI É PERSONAGEM
DE UMA ÓPERA BEM FAMOSA,
QUE FINGINDO SER AMÁVEL,
LEVA UMA VIDA ENGANOSA.

JÁ FARTA DE TANTA MALDADE,
E A TODOS VER DESPREZAR,
É NO PÁTIO DE UM CASTELO
QUE UMA ESTÁTUA O VAI CASTIGAR.

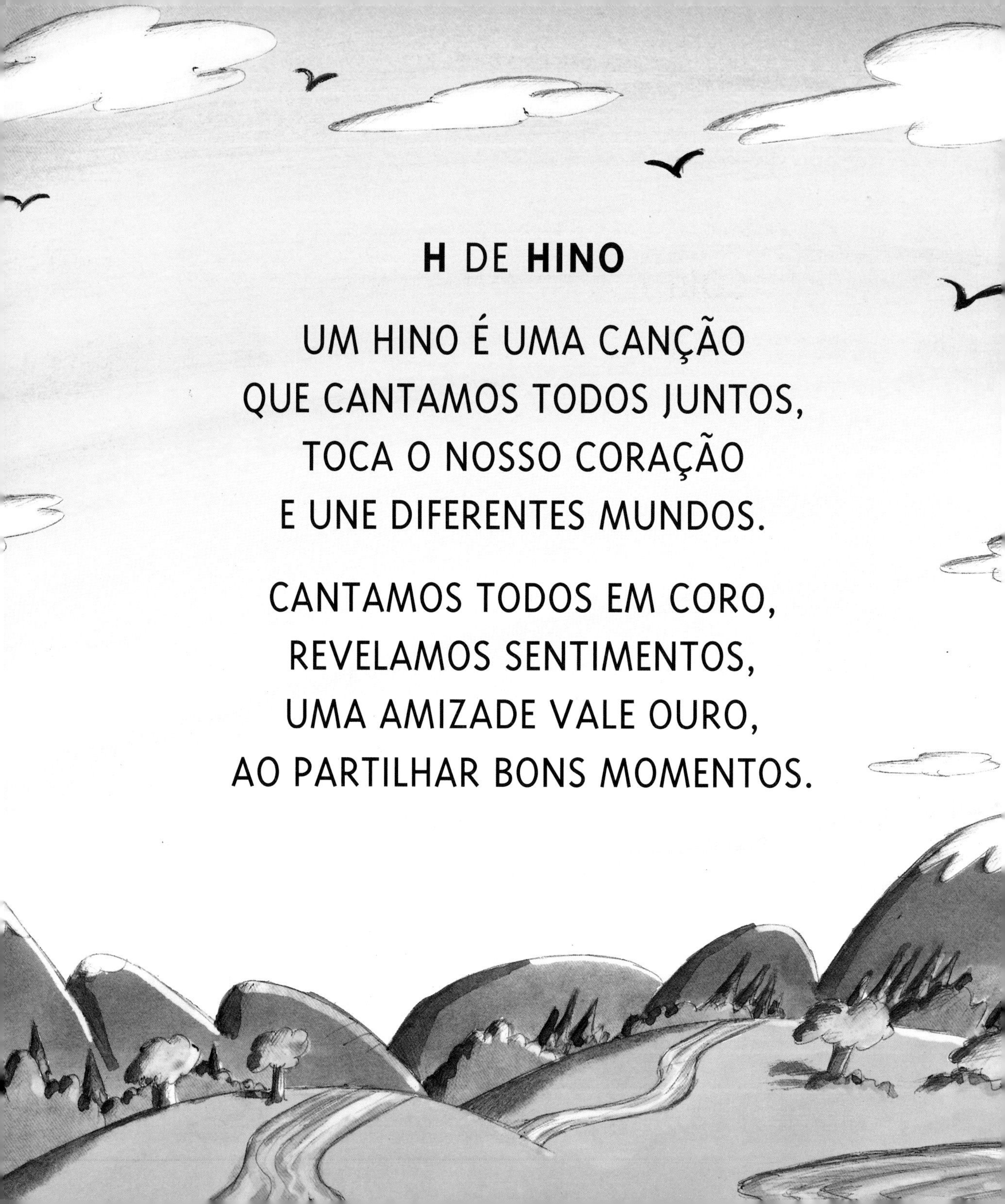

H DE **HINO**

UM HINO É UMA CANÇÃO
QUE CANTAMOS TODOS JUNTOS,
TOCA O NOSSO CORAÇÃO
E UNE DIFERENTES MUNDOS.

CANTAMOS TODOS EM CORO,
REVELAMOS SENTIMENTOS,
UMA AMIZADE VALE OURO,
AO PARTILHAR BONS MOMENTOS.

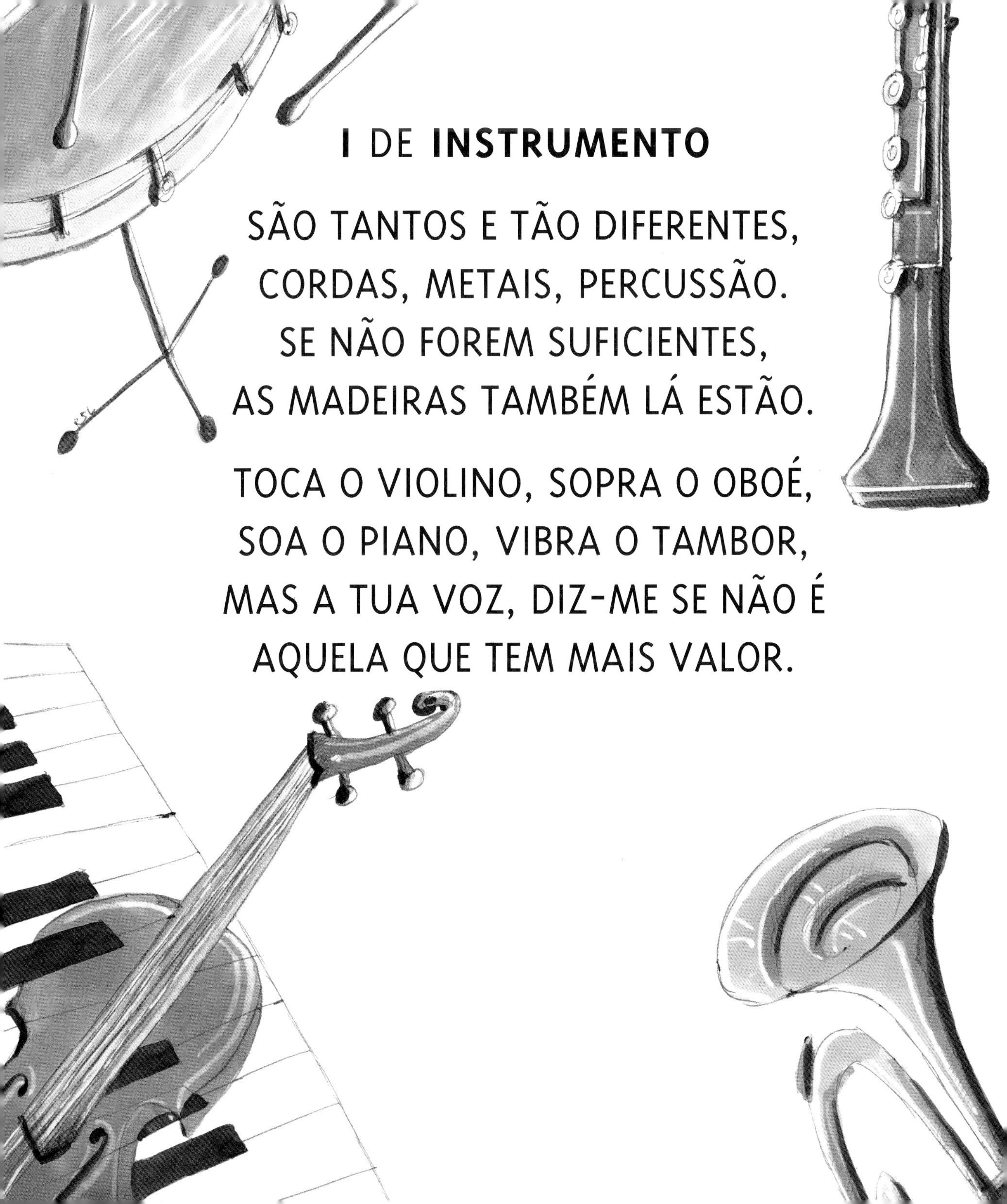

I DE **INSTRUMENTO**

SÃO TANTOS E TÃO DIFERENTES,
CORDAS, METAIS, PERCUSSÃO.
SE NÃO FOREM SUFICIENTES,
AS MADEIRAS TAMBÉM LÁ ESTÃO.

TOCA O VIOLINO, SOPRA O OBOÉ,
SOA O PIANO, VIBRA O TAMBOR,
MAS A TUA VOZ, DIZ-ME SE NÃO É
AQUELA QUE TEM MAIS VALOR.

J DE **JAZZ**

COM TRÊS ELEMENTOS É UM TRIO,
SE FOREM QUATRO É UM QUARTETO,
OS MÚSICOS MARCAM O RITMO,
QUE NO FINAL BATE CERTO.

NASCEU EM NOVA ORLEÃES,
ESTE GÉNERO MUSICAL,
COM VOZES E INSTRUMENTOS,
NO IMPROVISO É GENIAL.

K DE K525 "PEQUENA SERENATA NOCTURNA"

QUALQUER OBRA DE AMADEUS
TEM UM TÍTULO COMO É NORMAL,
MAS TAMBÉM SE DESIGNA POR K,
COM UM NÚMERO NO FINAL.
SE PUDESSE, POR PALAVRAS,
DIZER ESTA MELODIA
QUE AQUI TE APRESENTO
CREIO QUE SIM, QUE DIRIA:
GRAÇA, JOGO, TURBILHÃO,
CALOR, BELEZA, HARMONIA,
RITMO, COMPASSO, CANÇÃO,
MAS SOBRETUDO, ALEGRIA.

L DE **LIBRETO**

UM ESCRITOR ESCREVE UM *LIBRETO*,
UMA HISTÓRIA PARA CANTAR.
OS CANTORES QUE ESTÃO NO PALCO
QUE BEM VÃO REPRESENTAR.

M DE **MOZART**

ERA ALEGRE E BRINCALHÃO,
VIRTUOSO ATÉ FARTAR,
PRECOCE ATÉ MAIS NÃO,
DIGNO DE SE ADMIRAR.

NA MÚSICA FOI UM PRODÍGIO,
QUE NINGUÉM PÔDE IGUALAR,
BEM MERECE TAL PRESTÍGIO
E O SEU GÉNIO CELEBRAR.

MOZART, A TUA MÚSICA SEM PAR,
PARA SEMPRE NOS HÁ-DE ENCANTAR.

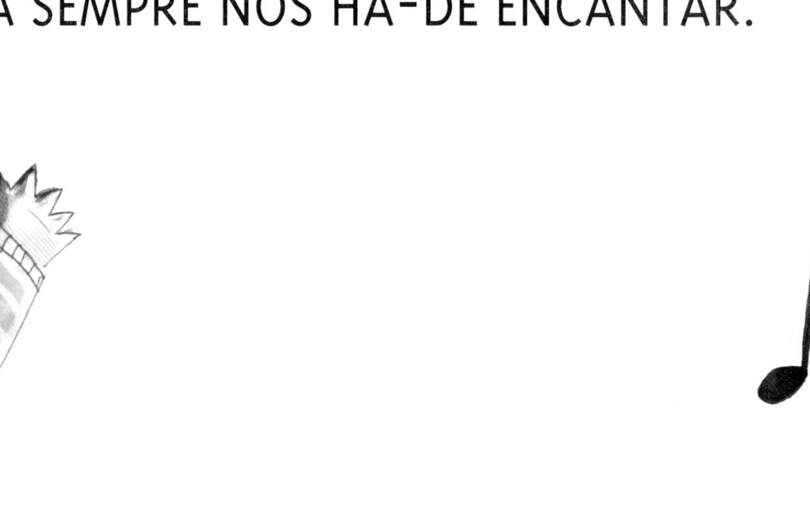

N DE **NOTA**

SETE NOTAS MUSICAIS,
CADA UMA COM SEU NOME,
JÁ CONHECES, SÃO AS TAIS:
DÓ, RÉ, MI, FÁ, SOL, LÁ, SI.

SE CANTARES UMA CANÇÃO,
VAIS PRECISAR DELAS TODAS,
SÓ DE ALGUMAS, OU TALVEZ NÃO:
SI, LÁ, SOL, FÁ, MI, RÉ, DÓ.

O DE **ÓPERA**

HÁ MUITO TEMPO, EM ITÁLIA,
SURGIU UM TEATRO DIFERENTE
EM QUE CANTAM OS ACTORES
COM VOZ ALTA E ESTRIDENTE.

QUANDO A VOZ É MUITO AGUDA,
ESTÁ A CANTAR UM SOPRANO;
AO TERMINAR, SAI DO PALCO,
E A SEGUIR FECHA-SE O PANO.

A ORQUESTRA VAI TOCANDO,
ENTRA EM CENA UM CANTOR,
E COM VOZ FORTE E PODEROSA,
OU É BARÍTONO OU TENOR.

P DE **PIANO**

AO CHEGAR AO TECLADO,
PARA UM OU PARA OUTRO LADO,
OS DEDOS CORREM NAS TECLAS,
COMO SE FOSSEM ATLETAS.

DE PRETO E BRANCO VESTIDAS,
AS TECLAS SÃO PERCUTIDAS,
OS SONS PARECEM VOAR,
COMO PENAS LEVES NO AR.

Q DE **QUINTETO**

EM TODA A OBRA DE MOZART,
CONTAM-SE ALGUNS QUINTETOS,
CINCO MÚSICOS VÃO TOCAR,
EM MEMORÁVEIS CONCERTOS.

INSTRUMENTOS AFINADOS,
CADA UM NO SEU LUGAR,
NA SALA FEZ-SE SILÊNCIO,
A MÚSICA VAI COMEÇAR.

R DE **RITMO**

O RITMO DESTE CONCERTO,
FAZ VIBRAR A MULTIDÃO,
MAS QUANDO TU ESTÁS PERTO,
HÁ RITMO NO MEU CORAÇÃO.

DE QUE FORMA SOPRA O VENTO,
QUE RITMO FAZ AO PASSAR?
ORA VELOZ, ORA LENTO,
QUEM ME DERA COM ELE VOAR.

S DE **SALZBURGO**

HÁ UMA RUA EM SALZBURGO
E NA ESQUINA UM VIOLINISTA
QUE SE PREPARA PARA TOCAR
A MÚSICA DE UM GRANDE ARTISTA.

NESTA CIDADE NASCEU
WOLFGANG AMADEUS MOZART,
QUE AO MUNDO OFERECEU
A RIQUEZA DA SUA ARTE.

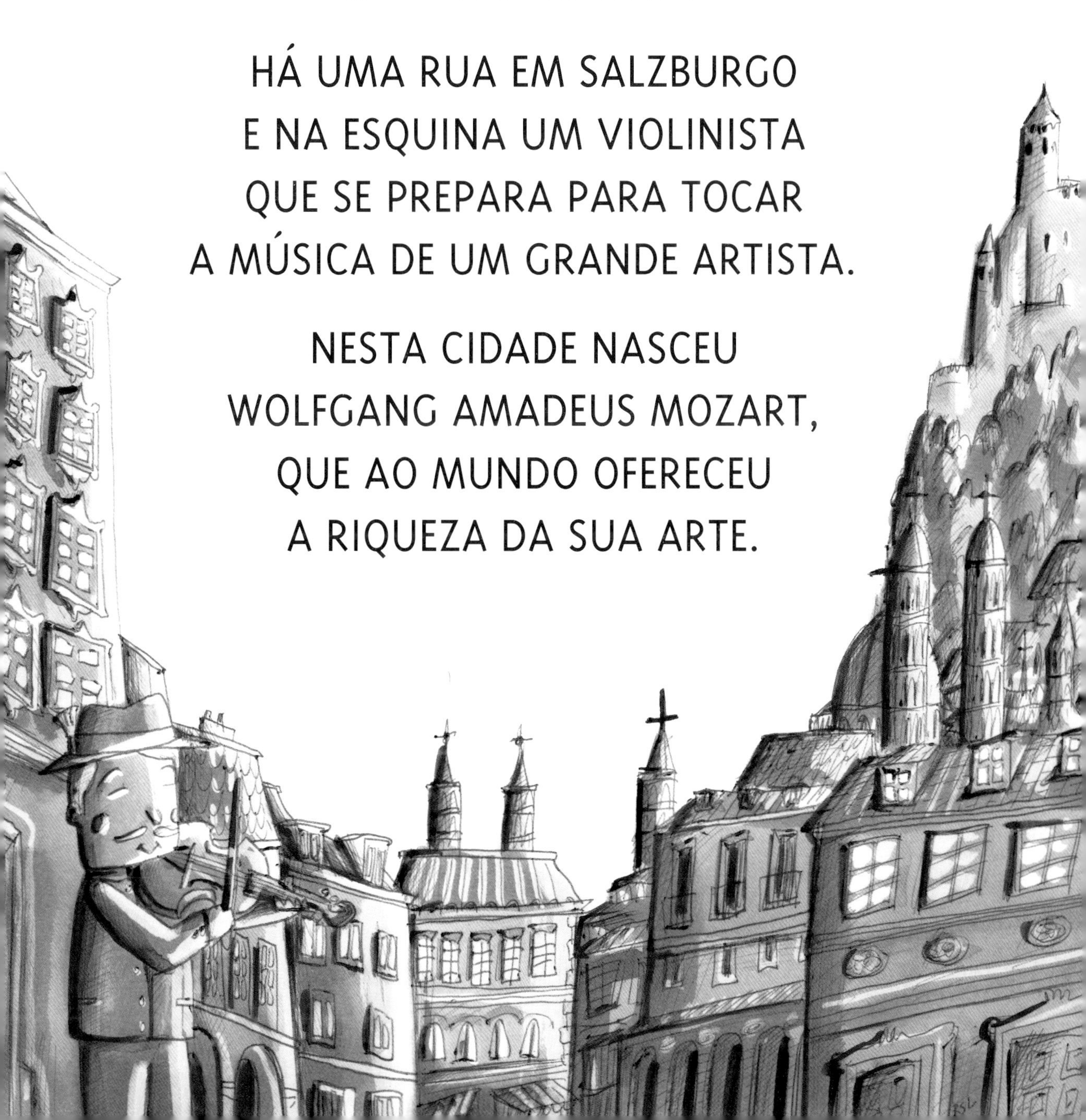

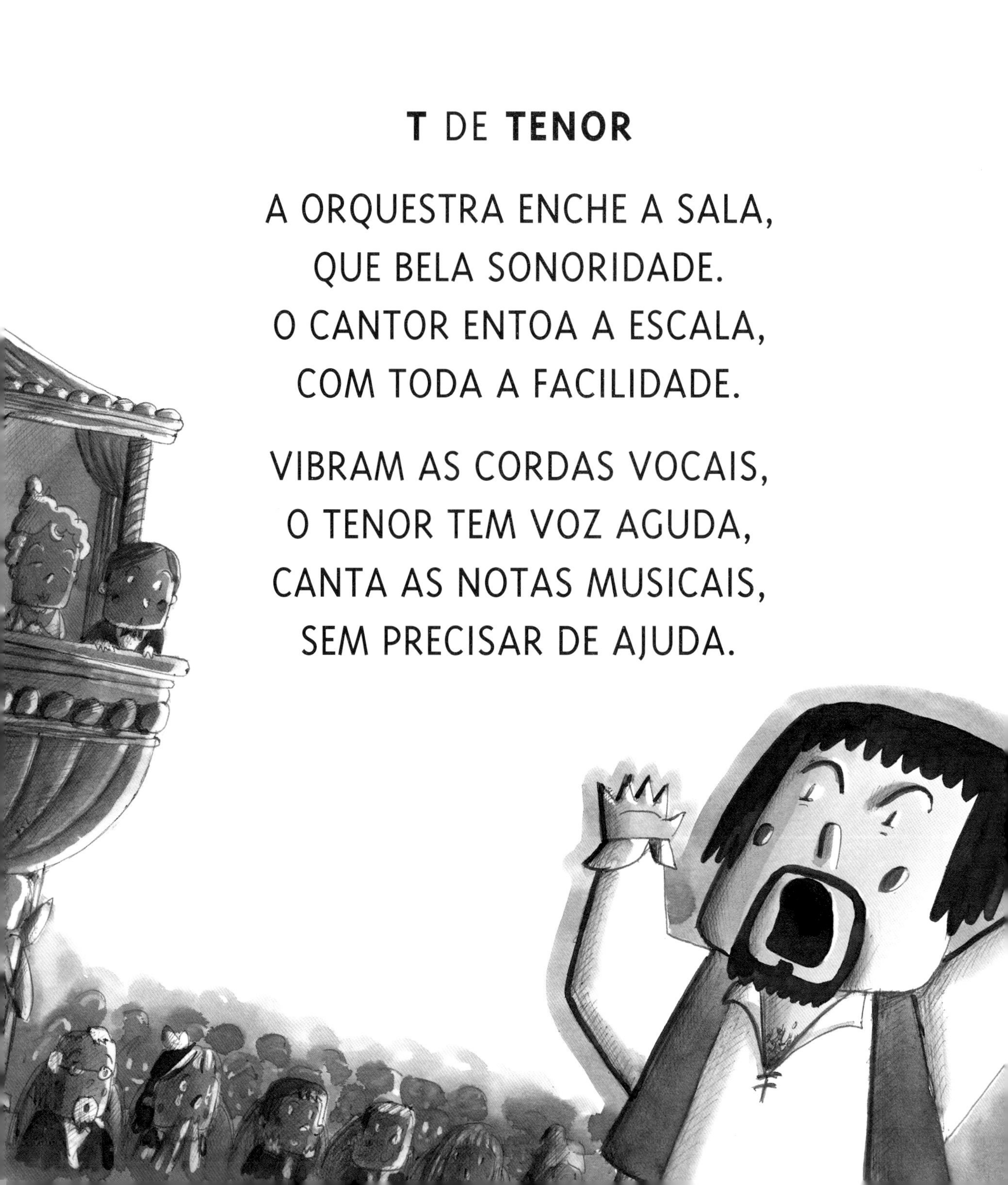

T DE **TENOR**

A ORQUESTRA ENCHE A SALA,
QUE BELA SONORIDADE.
O CANTOR ENTOA A ESCALA,
COM TODA A FACILIDADE.

VIBRAM AS CORDAS VOCAIS,
O TENOR TEM VOZ AGUDA,
CANTA AS NOTAS MUSICAIS,
SEM PRECISAR DE AJUDA.

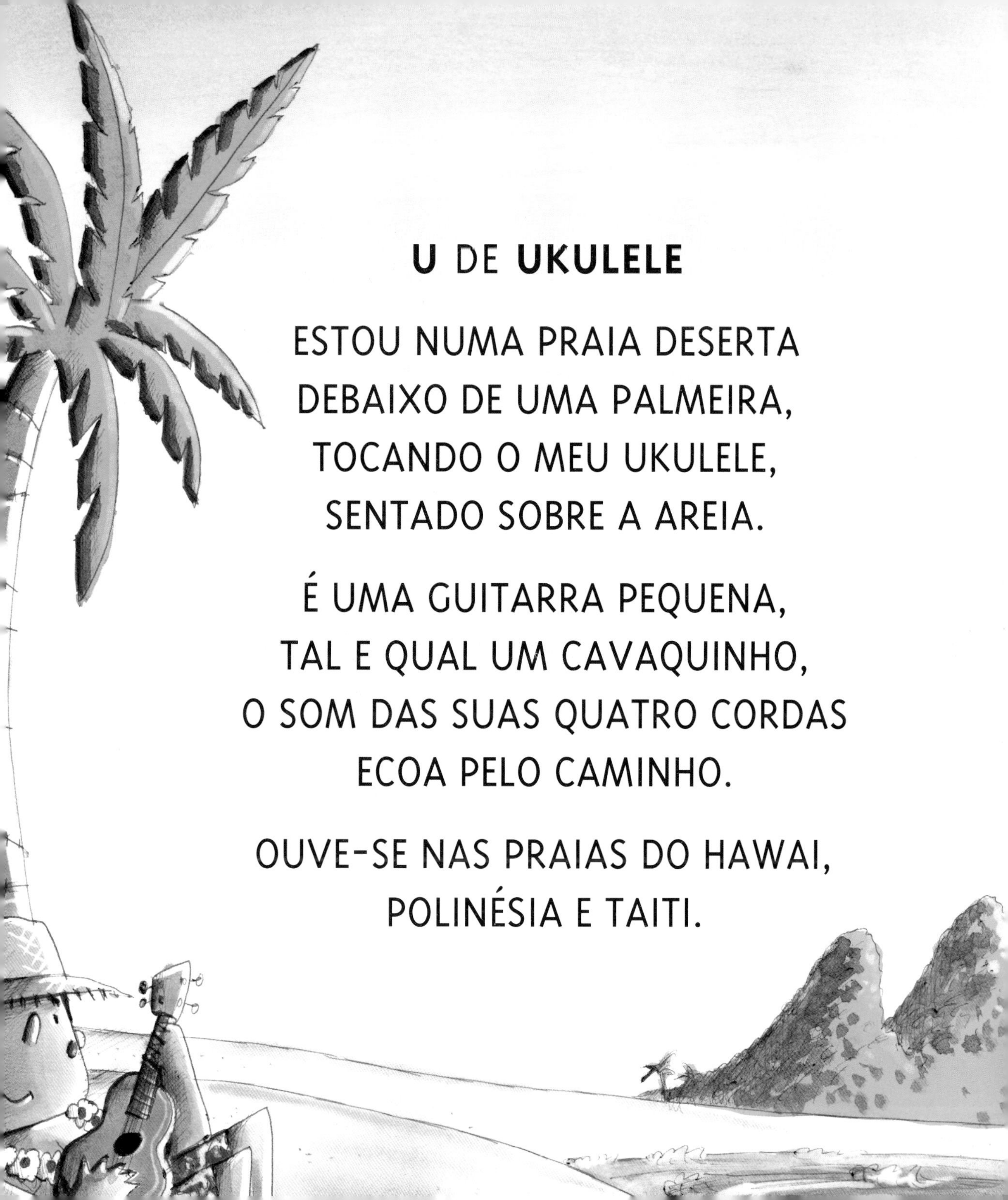

U DE **UKULELE**

ESTOU NUMA PRAIA DESERTA
DEBAIXO DE UMA PALMEIRA,
TOCANDO O MEU UKULELE,
SENTADO SOBRE A AREIA.

É UMA GUITARRA PEQUENA,
TAL E QUAL UM CAVAQUINHO,
O SOM DAS SUAS QUATRO CORDAS
ECOA PELO CAMINHO.

OUVE-SE NAS PRAIAS DO HAWAI,
POLINÉSIA E TAITI.

V DE **VIOLINO**

UM ARCO VIBRA NAS CORDAS
DESTE PEQUENO INSTRUMENTO,
O SOM AMENO E SUAVE,
ÀS VEZES PARECE UM LAMENTO.

WOLFGANG, COM SETE ANOS,
TOCAVA-O COM MESTRIA,
INTERPRETANDO SEM CUSTO,
MÚSICAS DA SUA AUTORIA.

W DE **WOLFGANG**

POR TODA A EUROPA ESPALHOU
A SUA MÚSICA E TALENTO,
REIS E NOBRES ENCANTOU
COM MESTRIA E SENTIMENTO.

COM GRANDE IMAGINAÇÃO,
VENCENDO ALGUNS CONTRATEMPOS,
WOLFGANG COMPÔS MUITAS OBRAS
QUE PERDURAM PELOS TEMPOS.

X DE **XILOFONE**

VAMOS CANTAR E DANÇAR
AO RITMO DA PERCUSSÃO,
A BAQUETA MARTELAR
E O TRIÂNGULO: TLIN-TLÃO.

INDISPENSÁVEL NA FESTA,
A ACOMPANHAR AS MARACAS,
SEM ELE O FESTIM NÃO PRESTA,
É O XILOFONE POIS ENTÃO!

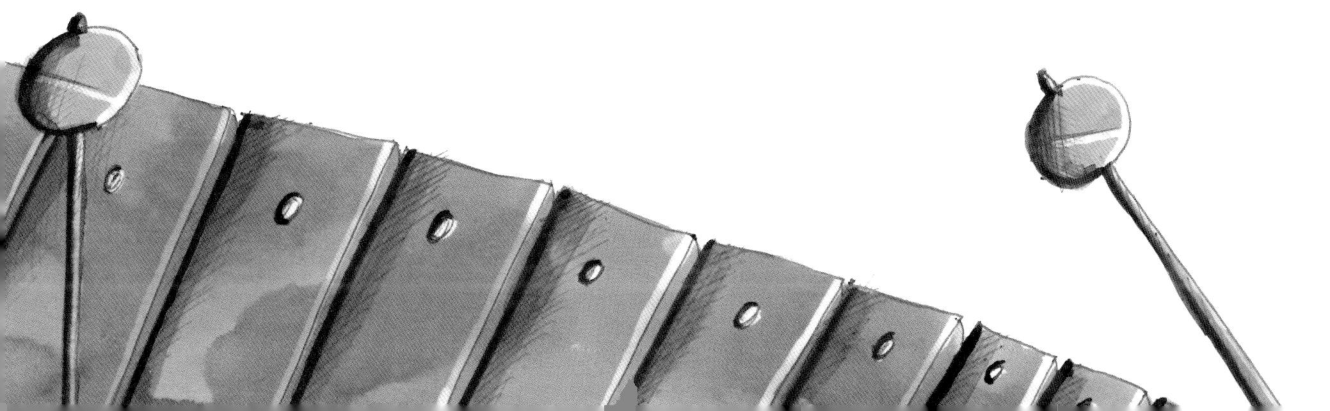

Y COMO EM **HAYDN**

FOI TAMBÉM COMPOSITOR,
GRANDE AMIGO DE AMADEUS,
QUE POR SER SEU ADMIRADOR,
LHE DEDICOU SEIS QUARTETOS.

Z DE **ZUMBIDO**

ESTÁ A VOAR UM MOSCARDO,
ÀS VOLTAS NA MINHA CABEÇA,
E QUANDO ESTOU A FICAR FARTO,
AO INVÉS DE ACABAR... RECOMEÇA!

SÓ UMA NOTA, SEM MELODIA,
SE INSINUA NO MEU OUVIDO,
NÃO HÁ RITMO NEM HARMONIA,
ISTO NÃO É MÚSICA, É RUÍDO!